An Nollaig sa Naigín

le

Ré Ó Laighléis

Léaráidí le Tatyana Feeney

MÓINÍN

Do mo Shinéidín, le deoir

Céimeanna na Nollag

A n Nollaig. A aoiseanna féin aige, mar atá ag gach aon ní. Aois leoithne gaoithe ag an bhféileachán, aois séasúir ag an bhFómhar, aois bliana ag an mbláth…

Ina gcéimeanna a áirítear aoiseanna na Nollag. Céim an Iontais, Céim na Soineantachta, Céim an Amhrais, Céim an Chur i gCéill, Céim an Ábharachais, Céim an Mheatha, Céim na Tuisceana. Roinnt de na céimeanna ag trasnú a chéile ar uaireanta, iad á sníomh féin trí aoiseanna na Nollag, iad ár bpréamhú inár dtuiscintí, ar bhealach amháin nó ar bhealach eile. Agus greadann siad leo, na blianta. Iad ag imeacht leo de shíor ar roithleán mór úd an tsaoil. Naíonán go páiste, páiste go déagóir, déagóir go fásta.

Agus i ndul an rothlaithe sin, má thiteann idir bheannacht agus ádh ort, deonaítear an dara deis duit agus tú id' thuismitheoir: fásta go naíonán, naíonán go páiste, páiste go déagóir, déagóir go fásta. Deis athmhaireachtála trí shúile sleachta, agus glactar leis mar dheis.

Imíonn na blianta agus tagann léithe ar na sála orthu, agus tagann sliocht ar shliocht. Agus, má bheannaítear arís tú, is mar Dhaideo nó Mhamó a dhéantar, agus tá gaois agus méithe aoise sa mhéid a bhraitheann tú an babhta seo: Daideo go naíonán, naíonán go páiste, páiste go déagóir, déagóir go fásta, fásta go Daideo. É go léir ag rothlú leis, bliain i ndiaidh bliana, céim i ndiaidh céime… Agus tagann an Nollaig úd nuair nach ann do dhuine a bhí ann do Nollaigí eile cheana, agus moillíonn an roithleán tamall mar chomhartha ómóis don té atá ar lár. Agus má thagann sneachta, tagann, ach máchail de chineál ar a bháine de bharr na cailliúna. 'S má shiltear deoir, siltear, agus flúirse. Ach beirtear Naí gach aon bhliain sa stábla úd i bhfad i gcéin. Agus crochtar réalt go hard sa spéir le go dtuigfear dóchas a bheith ann i gcónaí…

Céad Sneachta na Nollag

Céad Sneachta na Nollag

Do mo Mháthair, Josephine

Lá Nollag 1959. Tráthnóna. Mé sé bliana d'aois. An sneachta ina chóta geal clúmhach ar an ngairdín cúil. Brat tiubh bog á leathadh féin ina bhán, é ag spréacharnach faoin ngrian ghéar chrua, áit a bhfuil an fhallaing fhuachta breactha le diamaint bheaga airgid gach anseo is ansiúd. Gan d'fhéar ar domhan a thuilleadh, agus maidir lena bhfuil de chrainn ann, tá siad sioctha reoite ar bhealach nach bhfuil feicthe ag súile an pháiste seo riamh cheana. Ar an uile ghéag orthu tá círín ard sneachta a sheasann go righin dána agus a fhógraíonn go maorga glioscarnach gur leis an sneachta céanna an lá seo.

Mo shrón brúite le gloine na fuinneoige agus me á bhreathnú, agus gach anois agus arís tá orm cufa mhuinchille mo gheansaí a charnadh le mo chrobh agus m'anáil a ghlanadh den bpána le nach millfear radharc an iontais orm. Agus casaim mo shúile móra leathana isteach i mo chloigeann agus breathnaím i dtreo na spéire.

Gan smid de léithe scamaill ann. É chomh glan le hanam pháiste lá a Chéad Chomaoineach. É chomh gorm mealltach sin go ndéantar ceangal idir é agus goirme mo shúile. An spéir chéanna iontach ard – an oiread sin d'airde ann is nach gceadódh meon an pháiste ionam a cheapadh go bhfuil aon srian lena réimeas. Agus, go deimhin, níl.

Cling cleaing an chloig i gclogás an chlochair chomharsana achar beag síos an bóthar uainn – é á fhógairt féin, é ag déanamh iarrachta ar m'aird a bhriseadh. Ar éigean a chloisim é, nó má chloisim féin, ligim tharam é amhail is nach ann dó – clochar, cleaing ná clog. Ach d'ainneoin sin, éiríonn leis an ngleo cur isteach fochoinsiasach éigin a imirt ar na smaointe orm, agus géaraím mo dhearc athuair.

Ar dhá éan ar dhíon na seide sa ghairdín cúil a thiteann m'amharc an babhta seo. Iad beag. Go deimhin, ceann acu cuid mhaith níos lú ná an ceann eile. Spideog agus dreoilín, mura bhfuil dul amú orm. Cuimhním ar scéalta mo Mhamaí ina dtaobh agus déanaim cantaireacht na bhfocal mar a dhéanann sise iad:

'Dreoilín, dreoilín, Rí na nÉan,
Dreoilín, dreoilín, sonasach séan.'

Agus dallaim an radharc orm féin arís le ceo an asanálaithe agus mé ag rá na bhfocal. Bailím cufa an gheansaí fós eile agus glanaim an brat anála den bhfuinneog den dara huair.

Iad ann i gcónaí – na héin. Agus an spideog, agus an chaoi, de réir mo mháthair, ar thit braon fola an tSlánaitheora anuas den gcrois uirthi agus d'fhág rian dearg an bhrollaigh uirthi go deo deo ina dhiaidh sin, go dtí an lá seo féin, go deimhin. É iontach mar bhraon fola, más ea, a deirim liom féin.

Iad spraíúil cleasach ar bharr na seide 'gus iad ag preabarnach agus ag gobaireacht leo ó áit go háit. Mias an bhidh agus na screamhóga aráin ann, áit ar fhág Mamaí amach dóibh iad níos luaithe ar maidin – iad sin is mó is cás leo. Iad beag beann ar fad ar mise a bheith ag faire orthu.

Agus mé ag faire. Ag faire ar na héin, ag faire ar an ngairdín, ag faire ar an spéir. Agus sleamhnaíonn an tráthnóna leis go hoíche agus, i nganfhios dom, tagann Dia mór an chodlata anuas orm agus imríonn cleas an támhnéil ar m'intinn. Agus fágtar mé ansin, mo shrón brúite le taise na fuinneoige, m'anáil de shíor ag scaipeadh cheo ar an uile chuid den ghloine…

'Le coinnle na n-aingeal tá an spéir amuigh breactha,
Fiacail an tseaca sa ghaoth ón gcnoc;
Adaigh an tine agus téir chun na leapa,
Luífidh Mac Dé ins an tigh seo anocht.'

Gan a dhath ar eolas agam faoi mo Dheaide a bheith do mo bhailiú isteach ina bhaclainn agus mé á leagan go mánla suaimhneach aige idir na bráillíní bána. Iad briosc bioranta bán, na bráillíní. Iad chomh geanmnaí le gile an tsneachta féin atá i ndiaidh draíocht úr bhreise a sheoladh chugam an Nollaig seo, agus mé in aois sé bliana.

Agus in imeacht chodladh na hoíche, nuair a eitleoidh dreoilín agus spideoigín an bhrollaigh uaibhrigh uaim ar mhoing na dtaibhreamh, tiocfaidh an bháisteach ina feallaire agus glanfar an uile rian den tsneachta gliondrach draíochta den ghairdín cúil.

Buachaill Bó na Nollag

Buachaill Bó na Nollag
Do Bhlipín

Maidin Nollag 1960. Mé seacht mbliana d'aois. Dhá ghunna geal airgid ag bun na leapa. Iad gleoite. Iad glioscarnach. Gile an mhiotail ag spréacharnach faoin tsolas – é ag briseadh isteach trí chrusta ronnach an chodlata orm nó go n-osclaítear súil, 's ansin an dara súil, agus déanaim ciall den bhfeic.

By daid! Tháinig sé i nganfhios dom, fear na féasóige báine, fear an chóta dheirg. Agus an oiread sin d'iarracht déanta agamsa fanacht i mo dhúiseacht faoina choinne. Caithfidh nach raibh ann ach an nóiméad féin go ndearna mé an mhíogarnach. Ach is leor sin féin do Dhaidí na Nollag, bíodh a fhios agat, hó-hó. Hó-hó-hó!

Suím suas sa leaba, cromaim ar aghaidh agus tarraingím chugam an chreach. Sea, dhá ghunna, agus baraille an ceann orthu. Agus, de scuabadh na láimhe, cuirim ceann de na barraillí ag rásaíocht timpeall de ghleo gliograch. Ansin, sáim an dá chorrmhéar isteach faoi bhraic na dtruicéar agus rothlaím na gunnaí de luas mearbhallach ar na lámha.

"Is mise Wyatt Earpe, Sirriam Tombstone Arizona," a deirim, agus aithním ar mo ghlór féin go bhfuil tuin Mheiriceánach de chineál ar na focail.

As an leaba liom de phreab, an dá ghunna á síneadh amach romham go cuardach. Agus, a bhuí le Dia, spréite ar an urlár ag bun na leapa tá an chuid eile den bhfearas. Beilt bhreá dhubh a bhfuil sraith de stodaí airgid air agus dhá chumhdach ar an gcrios le haghaidh na ngunnaí. Treabhsar leathair taobh leis sin, agus imill fhrainseacha dhearga ar an dá chos de. Agus hata. Hata. Go deimhin, cá hann do bhuachaill bó gan hata, rud is léir a bheith ar a thuiscint ag San Nioclás. Hó-hó! Ní haon dóithín é sna cúrsaí seo, arsa mise liom féin.

Mé gléasta de chasadh boise agus mé anois os chomhair an scátháin mhóir ar bhalla léibheann an staighre. Mé ag breathnú isteach go grinn orm féin tamall, an hata á chlaonadh ar mo chloigeann agam, agus ansin á athchlaonadh arís nó go mbíonn sé ceart.

An bheilt á brú síos ar na cromáin lena chinntiú go suíonn cumhdach na ngunnaí go cothrom cuí orm. Agus ansin an strainc. Strainc ar clé, strainc ar dheis. Leathnú straince, cúngú straince, 'gus strainc ar clé arís. Sea, ar clé is fearr. Agus tá an uile ní ina cheart. Druidim leis an scáthán agus mo strainscse foirfe ar mo bhéal.

"Howdy! Coady a thugtar orm, William Coady. Ach is fearr aithne atá orm sa dúiche seo mar Billy the Kid." Agus breathnaíonn Billy the Kid amach ón scáthán orm. "Ma'm," ar sé ansin, agus cuireann lámh le himeall a hata mhóir mar chomhartha cúirtéise le bean na samhlaíochta a ghabhann thar bráid. Agus breathnaím féin i ndiaidh na mná agus mé ag beannú di.

Ach dóthain den scáthán. Casaim agus tugaim aghaidh ar an staighre síos, mo chiotóg ar na balastair agam agus mé ag tuirlingt, céim ar chéim, mo dheasóg ar hánla an ghunna… ar eagla na heagla, tá a fhios agat féin. Agus, ag bun an staighre, sa chuasán beag úd sa halla nach bhfuil ainm oiread agus tuillte aige mar áit, tá an mainséar. Fíoracha na gcarachtar istigh – Muire, Iosaef agus araile – agus an Leanbh Íosa ina gceartlár agus na hainmhithe ag análú anuas air. Agus, os cionn an stábla, réalt. Réalt úr glioscarnach an dea-scéala. Agus, os a chionn sin arís, banda cairtchláir a bhfuil an focal 'síocháin' scríofa air. Agus tagann focail Mhamaí chun mo chuimhne:

'Ná téigh thar an mainséar gan dul ar do ghlúine agus paidir a rá.'

Agus cúbaim an dá chos fúm agus téann ar ghlúine. Bainim díom an hata – claonadh ceart an fheistis millte ar fad anois agam – agus deirim paidir ar son na síochána. Seasaim athuair, tugaim cúl le stábla, tugaim cúl le síocháin.

Amuigh ar an tsráid anois dom, agus is mise Wild Bill Hickok, Meiriceánach. Fear iargúile. Síochánaí. Sea, síochánaí. Agus an dá ghunna ar na cromáin agam i gcónaí. Agus táim anseo chun an uile ní a cheansú, bíodh sé ina thrioblóid nó ná bíodh.

Gunna ardaithe, é prímeáilte, cor ar dheis, scaoil – marbh.

Gunna ardaithe, é prímeáilte, cor ar clé, scaoil – marbh.

Gunna ardaithe, é prímeáilte, cor in áit ar bith, scaoil – marbh.

Scaoil, scaoil, scaoil, scaoil, scaoil – marbh.

An mhaidin á cur agam díom amuigh ar an tsráid sin. Cor ag neach anseo á aimsiú agam, cor ag neach ansiúd. Mé ag scaoileadh fúthu i ngach aon áit a chorraíonn siad, mé á marú ar an toirt. Scaoil.

Scaoil as cearn éigin eile nach eol dom agus titim chun talún de phlimp. Agus, den ala céanna sin, preabaim aníos caoldíreach sa leaba… Maidin Nollag 2006. Mé trí bhliain is caoga d'aois. An clog raidió is cúis le mé a dhúiseacht. Brisim crusta ronnach an chodlata ar mo shúile agus breathnaím láithreach i dtreo bhun na leapa. Níl rian ná smut de ghunna airgid ann, gan trácht ar phéire díobh. Ach mír nuachta ar an raidió ag dul i gcion orm de réir mar a thagaim chugam féin. Tuin Mheiricánach ar ghuth an tuairisceora. Cúrsaí san Iaráic faoi chaibidil aige agus é ag nochtadh scéil faoin uafás is déanaí atá déanta in ainm na síochána ag buachaill bó na Nollag seo. Buachaill bó na síochána, agus hata air, ar ndóigh…

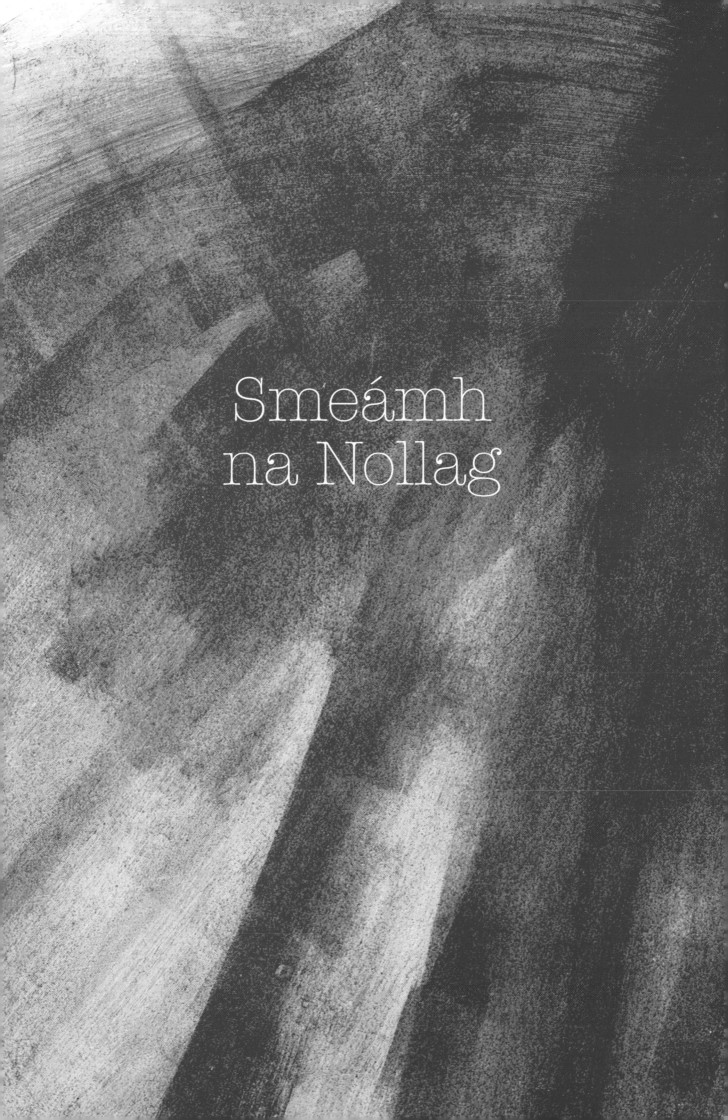

Smeámh na Nollag

Smeámh na Nollag

Do Phete

An Nollaig 1961. Mé ocht mbliana d'aois. Bhuel, ocht mbliana go leith, i ndáiríre. Séideán sneachta ina chuilithíní isteach trí'n bhfuinneog oscailte a dhúisíonn mé. Tá an millisoicind ann, díreach i ndiaidh dom mo shúile a oscailt – *nó an roimhe sin a tharlaíonn* – nuair a shílim go bhfeicim San Nioclás ag léim amach an fhuinneog.

"Haí, a Phete," adeirim go díograiseach, "an bhfaca tú é sin?"

Meánfach ag mo dhearbháir sa leaba thall, ansin torann clamprach a choirp á chasadh. Agus, leis sin, gnúsacht de chineál.

"A Phete, an bhfaca tú é?"

"Óra, cén diabhal atá ort an tráth seo den mhaidin?" ar sé, agus boirbe ar a ghlór.

"San Nioclás, a Phete, tá sé díreach tar éis dul amach an fhuinneog."

An dara casadh sa leaba agus ansin casadh eile fós. "Ó, in ainm Chroim! Ag brionglóideach atá tú, a bhuachaill," ar sé. "Ar chaoi ar bith, ní amach an fhuinneog a théann se ach suas an bloody simléar."

An ceart aige, ar ndóigh, agus tuige nach mbeadh? Nach bhfuil sé dhá bhliain níos sine ná mé agus an uile ní ar domhan feicthe aige thar mar atá feicthe agamsa. Ach mé cinnte de go bhfaca mé ag dul amach an fhuinneog é. D'ainneoin sin, breathnaím ballaí an tseomra. Ceithre cinn díobh. Is dócha nach féidir síleáil nó urlár a áireamh ina bhalla. Iad siúd amháin a sheasann go hinghearrach le hurlár nó síleáil a áireofaí mar bhallaí i ndomhan na heaspa samhlaíochta – domhan na ndaoine fásta. Ceithre cinn díobh, más ea.

Sea, ceithre bhalla, mórán mar a bheadh i ngnáthsheomra ar bith, is dócha. Ach simléar nó poll de chineál ar bith ní raibh le feiceáil iontu – bhuel, seachas an poillín beag sin sa chlár ciumhaise a bhfuil na luchóigíní in ainm 's a bheith isteach agus amach tríd. An poillín sa chlár ciumhaise! San Nioclás! Meas tú! San Nioclás? Naw, ní fhéadfadh.

"Ach, a Phete, níl aon simléar sa seomra seo."

Osna mhór fhada uaidh an babhta seo, casadh eile fós, ansin ardaíonn sé é féin ar leathuillinn agus breathnaíonn sé go géar orm.

"In ainm dílis Dé, nach bhfuil a fhios agam go rímhaith nach bhfuil aon bhloody simléar sa seomra seo! Codlaímse anseo freisin, a bhuachaill, bíodh a fhios agat, agus tá mé níos sine ná tú chomh maith." Agus, leis sin, baineann sé a mheáchan den leathuillinn agus titeann siar de phlimp ar an tocht athuair.

Sea, níos sine! Ach an poillín sin sa chlár ciumhaise… is ar mo thaobhsa den tseomra atá sé. Ní hin amháin é, ach tá sé ag bun an bhalla úd atá buailte leis an taobh istigh de mo leabasa. Seans nach bhfaca Pete le fada fada é. Go deimhin, ní fhaca mé féin le fada fada é. Seans go bhfuil sé éirithe an-mhór faoin am seo. Seans gur tollán anois é – tollán atá ceangailte leis an tsimléar, pé áit a dtéann sé sin suas trí struchtúr an tí. Tollán a bheadh áisiúil go maith do Shan Nioclás mar bhealach chun an tsimléir. Tollán, b'fhéidir - b'fhéidir – a bheadh mór a dhóthain do Rúdalf agus dá chomhréinfhianna leis.

De ghluaiseacht mire a thumaim mo chloigeann i dtreo an urláir, ardaím imeall na cuilte agus breathnaím isteach faoin leaba. Tógann sé tamaillín orm dul i dtaithí ar an dorchadas istigh, ach, in imeacht roinnt soicindí, aimsíonn mo shúile barr an chláir chiumhaise. Leanaim fad an chláir ag cuardach an phoill. Is poll é poll i gcónaí, a shílim dom féin, fiú má tá sé bun os cionn. Agus aililiú! Sin é ansin é, san áit a raibh sé i gcónaí: poillín na luchóigíní sa chlár ciumhaise. Ach é beag i gcónaí leis, chomh beag céanna is a bhí sé an uair dheireanach a bhreathnaigh mise air.

Sílim glaoch ar Phete athuair lena rá leis nach trí'n gclár ciumhaise a tháinig San Nioclás ar aon chaoi, agus gur cinnte nach trí sin a d'éalaigh sé. Ansin, ritheann sé liom nach bhfuil rud ar bith ráite agam leis faoin bpoillín ar aon nós. B'fhearr gan é a lua ag an bpointe seo. 'S nach bhfuil sé dhá bhliain níos sine ná mé, ar chaoi ar bith, agus nithe ar a eolas aige nach bhfuil agamsa.

Ach mé cinnte de ar feadh an ama gur trí'n bhfuinneog a chonaic mé ag imeacht é. Í ar lánoscailt i gcónaí. Agus nach raibh an fhuinneog chéanna dúnta go daingean agus mise ag dul chun na leapa san oíche aréir! Meas tú!

Caithim díom an chuilt agus siúlaim go hamhrasach i dtreo na fuinneoige. Fuaire an tséideáin ar mo chliabhrach 'gus ar m'aghaidh agus mé ag druidim leis – í om ghriogadh, om phriocadh, om phrímeáil do dhraíocht ghártha na maidine seo. Cuilithíní boga sneachta ag spallaíocht le craiceann m'éadain, fiú sula shroisim an fhuinneog féin.

Ansin seasaim go dána san oscailt agus breathnaím uaim amach. An domhan mór amuigh ina bhán. Báine na gcrann, báine na talún, báine na sléibhte. An uile ní ina bhán. Gach uile ní ach amháin an stráice dearg úd atá i bhfad amach uaim. Ní cuimhin liom é sin a fheiceáil cheana – é gar do bhun an tsléibhe. Leathchuma air go bhfuil gluaiseacht éigin faoi, cibé atá ann. Sea, go cinnte, tá gluaiseacht faoi ceart go leor. Rud éicint á tharraingt, is cosúil.

Cromaim ar aghaidh, sínim mo chloigeann amach trí oscailt na fuinneoige, fáiscim mo shúile agus breathnaím rud beag níos géire ar an stráice dearg úd. By daid, ná habair! San Nioclás féin! San Nioclás agus lánfhoireann de réinfhianna ag greadadh leo in aghaidh an tsléibhe. An croí ag rásaíocht i mo chliabhrach istigh. É ag pramsach. San Nioclás. San Nioclás! Agus, leis sin, amhail is go bhfuil gloine fhormhéadaithe agam le breathnú air san imeacht, casann San Nioclás a chloigeann agus breathnaíonn siar im threo. Tá sé míle slí uaim nó níos mó, b'fhéidir, ach tá a aghaidh mar a bheadh sé díreach os mo chomhair – luisne na deirge ina ghrua, meangadh groíúil ar a bhéal agus gile na féasóige air chomh bán leis an sneachta féin. Caochann sé leathshúil orm, ardaíonn a dheasóg agus croitheann an clog mór práise a bhfuil greim aige air. Damhsaíonn an ghrian go glioscarnach i ngile na práise agus fógraítear cling cleaing clagarnach an chloig ina mhacalla i measc na sléibhte.

"Céard é sin, céard é sin?" a bhéiceann mo dheartháir, é á tharraingt féin aníos caoldíreach sa leaba.

"Céard é féin?" arsa mise, mé ag cúlú anois ón bhfuinneog agus á dúnadh i mo dhiaidh.

"An torann sin – an clog."

"Clog, a Phete! Níor chuala mise dada. Ag brionglóideach atá tú, ní foláir."

"Sea, clog," ar seisean. "Is cinnte gur chuala mé clog."

Searradh na nguaillí a bhainim asam féin. Huth, clog! A leithéid de sheafóid! Ach, ar ndóigh, cá bhfios? D'fhéadfadh sé go bhfuil Pete ceart mar, nuair a chuimhním air, nach bhfuil sé dhá bhliain níos sine ná mé agus i bhfad Éireann níos mó ar a eolas aige ná mar atá agamsa! Casaim mo dhroim leis agus breathnaím arís i dtreo na fuinneoige. Agus leathann meangadh mór leathan ar mo bhéal.

Deoir na Nollag

Deoir na Nollag

i gcuimhne ar m'Athair, Kevin

Lá Nollag 1962. Mé naoi mbliana d'aois. An dinnéar ite againn agus sinn sa seomra suí. An-ghiúmar ar an uile dhuine faoi dhíon an tigh istigh. Iarbholadh na cócaireachta ar an aer i gcónaí agus Mamaí sásta léi féin go bhfuil éacht na bliana curtha di aici fós eile. Í féin agus Mamó ag déanamh ar an gcistin athuair agus iad ag cogarnaíl faoi nithe nach do éisteacht leanaí iad. Rúndacht na mban, b'fhéidir, cá bhfios! Daid ina phlab ar cheann de na cathaoireacha sócúla agus idir shúgachas 'gus chodladh air toisc braon nó dhó a bheith istigh aige. Mo dhearthráir, Pete, ina shuí tóin faoi ar an urlár agus scagadh á dhéanamh aige ar ghiuirléidí éagsúla an bhosca trealaimh siúinéireachta a d'fhág Daidí na Nollag dó. Mo dheirfiúirín, Úna, curtha chun na leapa – í spíonta sínte ag rabharta na draíochta a bheireann an lá seo leis. Daideo suaimhneach ann féin, é ina shuí ar an gcathaoir is ríogúla sa seomra agus gloine bhranda ina ghlac aige. Íocshláinte chroí dó é a bhfuil de mhaitheas sa deoirín céanna, a deir sé linn i gcónaí. Teas á úscadh as donn-órgacht an leachta sa ghloine agus bladhmanna na tine le feiceáil ag meidhirdhamhsa tríd. Agus mise ag breathnú orthu uile agus ciall, de chineál, á déanamh agam de shócúlacht an mhanglaim shuaimhnis atá im' thimpeall.

"Nach maith é San Nioclás, mar sin féin, a Phete," arsa Daideo, "gur rug sé leis lán an bhosca sin de threalamh siúinéireachta chugat ón Moll Thuaidh?" Tiús na haoise ar fhocail Dhaideo, agus iad ag sleamhnú leo de chiumhais a bheola roicneacha. Gaois. Gan aon fhreagra ag mo dhearthráir air ach an chlaonfhéachaint chealgach úd atá le sonrú air i dtaobh na gcúrsaí seo le tamall beag anuas.

"Nach maith é, a Phete?" arsa Daideo athuair.

"Óra 'Dhaideo, tá a fhios ag an domhan agus a mháthair nach ann do Shan Nioclás ar chor ar bith," arsa Pete.

Bior láithreach ar mo shúilese ar a chloisteáil seo dom. 'Ní hann do Shan Nioclás' as béal mo dhearthráir! A leithéid de sheafóid aige! Cén dul amú é seo ar Phete go ndéarfadh sé rud mar sin ar chor ar bith? Breathnaímse ar Dhaideo, ach tá a shúilese dlúthdhírithe ormsa cheana féin. É ag stánadh orm go leathfhaiteach, amhail is go bhfuil sé ag fanacht le go ndéarfaidh mé rud éicint. Fonn orm rud a rá, go deimhin, ach is cosúil go bhfuil an ceangal riachtanach úd idir m'inchinn agus mo bhéal briste, stangtha, as ord ar bhealach aisteach éigin.

"Tá a fhios ag an uile dhuine sin," arsa Pete ansin, agus dánacht de chineál ina chaint aige an babhta seo.

1962

Ach gan a fhios agamsa sin. San Nioclás ann i gcónaí 'gcónaí chomh fada le m'eolas-sa. Huth! Go deimhin, cá ngabhfadh an fear bocht céanna ar aon chaoi, agus ualach úd na hoibre air. Ní hé go mbeadh am ag a leithéid a bheith ag glacadh saoire nó a dhath mar sin. Ní hionann é agus an gnáthdhuine, bíodh a fhios agat, agus ba chóir go dtuigfeadh Pete an méid sin. Stuif le réiteach agus le cóiriú ag an gcréatúr ó cheann ceann na bliana. Gan ach sprioc na Nollag díreach bainte amach ag an diabhal bocht agus cúrsaí ina dtús arís don chéad Nollaig eile. Cén tseafóid í seo ag Pete ar chor ar bith?

"Tá mé á rá leat, a Dhaideo," arsa Pete, "de réir Jimmy Kelly, ní hé Daidí na Nollag a bheireann chugat na bronntanais ach – "

Casacht cheasnach challóideach ag Daideo, é á dhéanamh sin d'aonghnó le go mbáfar ruball ráiteas Phete faoin gcallán. Ach gan a fhios agamsa sin, ar ndóigh. É cromtha ar aghaidh ar an gcathaoir agus rian an scaoill ar a shúile. Ansin breathnaíonn an seanfhear láithreach ormsa athuair. Cúlú ar an scaoll sna súile air anois agus miongháire ar a bhéal aige nuair a thuigeann sé nach dtuigimse an rud a thuigeann seisean. An rud a thuigeann Pete, go deimhin. An rud a thuigeann Jimmy Kelly agus mórán eile, b'fhéidir. An rud nach bhfuil a dhath ar eolas agamsa faoi. Meas tú, arsa mise liom féin, an rud é seo a thuigeann Mamaí agus Daidí?

Suíonn Daideo siar go mall, a dhroim á bhrú go láidir aige in aghaidh chúl na cathaoireach. Ardaíonn sé corrmhéar righin dhíreach lena bhéal agus féachann le fainic ar Phete. Ansin ardaíonn sé an ghloine bhranda lena bhéal, blaiseann den milseacht istigh agus caochann leathshúil ormsa thar chiumhais na gloine. Cromann Pete ar uirlisí an bhosca a scrúdú athuair agus fanann ina thost.

De réir a chéile a leathann sámhnéal an chodlata é féin ar intinn Dhaideo agus titeann sé chun suan. É iontach mar nach ndoirteann sé oiread agus an deoir amháin féin den mbranda agus an ghloine claonta ina lámh aige. Scil ar leith a bhaineann le seanaithreacha, ní foláir, arsa meon an pháiste liom, agus leanaim orm sa bhreathnú. Cos chúng an tsoithigh ghlé faoi ghreim aige idir bharra na corrmhéire agus na hordóige. É mar a bheadh snáth dhamháin alla idir an dá mhéar aige, i ndáiríre. Iontach. Uasal. Mo sheanathairse. É ar a dhícheall cur le síneadh na hóige dom. É om chosaint ar an bhfeall.

Filleadh na mban ar an seomra suí a bhriseann ar an gciúnas athuair. De ghus a thagann siad beirt, agus Mamó ar bís ag a bhfuil le hinsint aici a fhógairt.

"A Dhaideo, 'Dhaideo, dúisigh soicind. Dúisigh, a dhiabhail," ar sí, agus beireann sí ar leathuillinn ar an bhfear bocht agus croitheann é chun aithne. D'ainneoin an chroitheadh a dhéanann mo sheanmháthair air agus d'ainneoin dhúiseacht ghrod Dhaideo, éiríonn leis an seanóir i gcónaí gan oiread agus braoinín den deoirín féin a dhoirteadh. Míorúilt. Míorúilt an uile Nollaig le mo chuimhnese go n-éiríonn leis gan aon deoir a dhoirteadh.

"Dea-scéala agam, dea-scéala," arsa Mamó, agus breathnaíonn sí ar Mham atá anois ina suí ar chliathán na cathaoireach a bhfuil Daid ina phlab codlatach air i gcónaí. Sméideann Mam ar Mhamó leanacht ar aghaidh lena hinsint.

"An Nollaig seo chugainn," ar sí, agus a croí ag cur thar maoil le teann mórtais, "beidh béilín beag ocrach eile le beathú sa chomhluadar againn."

Leathann meangadh croíúil na sástachta ar bhéal Dhaideo agus, den chéad uair le huair an chloig anuas, leagann sé uaidh an ghloine ar an mboirdín beag atá taobh lena chathaoir agus síneann a dhá lámh amach go féiltiúil fáilteach.

"Gabh i leith anseo, a stóirín mo chléibh," ar sé, agus tagann Mam chuige agus beireann siad barróg mhór na Nollag ar a chéile. Agus breathnaím orthu beirt agus ar Mhamó, ansin ar Phete atá iomlán gafa leis na huirlisí i gcónaí, agus tá mé chomh haineolach céanna faoi céard is cúis leis an ngliondar seo orthu is atá mé fós faoin rún a raibh mo dhearthair ar tí a ligean uaidh ar ball beag.

"An-nuacht, an-phíosa nuachta go deo," arsa Daideo, agus cúlaíonn Mam agus suíonn arís ar chliathán na cathaoireach taobh le Daid, agus eisean i ndomhan na dtaibhreamh i gcónaí. Líontar gloiní agus ardaítear, agus óltar ceiliúradh an dea-scéala. Agus leanann na daoine fásta dá gcaint go ceann scaithimh nó go mbeartaíonn Mam agus Mamó filleadh ar an gcistin athuair lena thuilleadh cainte fós a chur díobh. Tagann míogarnach ar Dhaideo fós eile agus titeann sé chun suan, agus an ghloine 's a bhfuil de bhranda i mbolg an tsoithigh faoi shnáthghreim idir an dá mhéar aige i gcónaí. Agus breathnaím air go ceann i bhfad agus é mar sin.

Ní heol don neach is gaoismhire ar domhan an rud a thiocfaidh i gcasadh nóiméid, gan trácht ar chasadh bliana. Agus is lú fós atá ar a eolas ag mo leithéidse – páiste soineanta a bhfuil San Nioclás ann i gcónaí dó. Ach, faoin am go dtagann féile na Nollag arís, beidh béilín beag ocrach eile sa chomhluadar againn, cé nach é, b'fhéidir, an béilín a mbeidh súil ag daoine áirithe leis. Agus beidh an chathaoir ríogúil úd – cathaoir Dhaideo – folamh don chéad uair le mo chuimhne, agus fágfar gloine bhranda ar an mboirdín beag taobh leis, ach gan greim snáthach ag aon dá mhéar uirthi, faraor. Go deimhin, seans gur uaigní ná sin fós a bheidh cúrsaí, ar bhealach, cá bhfios. Agus, má dhéantar an diabhal ar fad orm, beidh aithne níos fearr agam ar Jimmy Kelly, a bhfuil rudaí ar a eolas aige nach bhfuil agamsa. Rudaí nach mbeidh Daideo ann le mé a chosaint orthu. Is ag an bpointe sin, b'fhéidir, a shilfear deoir le fírinne…

Cuairt na Nollag

Tráthnóna, Lá Nollag 1963. An lá mór féin ina bhán don chéad uair le cúpla bliain anuas. Agus mise anois deich mbliana d'aois. Ba dheacra ar fad é aistear Mhuire agus Iosaef chun an stábla dá mbeadh orthu é a chur díobh trí'n sneachta an tráth úd siar dhá mhíle bliain ó shin. Ach sa Mheán Oirthear a bhí siadsan agus fís an tsneachta ceilte orthu i gcónaí, chuile sheans. Lucht siúil na linne sin iad, ar bhealach, déarfá.

Tiús orlaigh den bpúdar geal ar dhromchla na talún lasmuigh an Nollaig seo, ach muide istigh go deas teolaí agus lasracha na tine ag cur loinnir bhreise ag damhsa sna súile orainn. Mamó imithe ar shlí na fírinne níos luaithe i mbliana. Mí Aibreáin, an 18ú lá a d'éalaigh sí chun suaimhnis. Í gan mhaith ó d'imigh Daideo, i ndáiríre. Níor mhair sí ach an ráithe féin tar éis dó bás a fháil. Ach iad in éindí le chéile arís san áit úd thuas. An áit, más fíor a deirtear, ina gcastar daoine ar a chéile athuair nuair a bhíonn a gcuid Nollaigí curtha díobh anseo acu. Ba leor é easnamh na míonna seo thart len í a mhealladh chun comhluadar a choinneáil leis i mbliana. Meas tú an bhfuil Mamó ag geabaireacht aisti san áit nua, mar a dhéanadh sí i gcónaí? Meas tú an bhfuil greim snátha ag Daideo ar chos na gloine úd san áit ina bhfuil sé anois? Meas tú an bhfuil aon deoir den mbranda doirte aige fós?

Ach níl san easnamh ach líonadh spáis in áit éigin eile. Sin é a deir mo Mhamaí, ar aon chaoi, agus bheadh a fhios aicisi faoi chúrsaí den chineál sin, is dóigh liom. Tá go leor den tsaol feicthe aici agus ag Daid agus tuigeann siad an teacht agus an imeacht ar bhealach nach féidir liomsa iad a thuiscint. Bealach nach féidir le mo dheartháir Pete ná mo dheirfiúr Úna a thuiscint ach an oiread. Ach cén seans go dtuigfeadh Úna a leithéid ar chaoi ar bith agus í cúig bliana níos óige ná mise?

Agus an béilín beag ocrach úd a bhí le teacht chugainn le haghaidh Nollaig na bliana seo – de réir mar a dúirt Mamó an Nollaig seo thart, ar aon chaoi – níor tháinig riamh. Rud eile nár thuig mé ag an am. Rud nach dtuigim fós. Ach ní chuirfinn ceist, fiú ar Phete. Go deimhin, anois go smaoiním air, ní chuirfinn ceist ar Phete, ach go háirithe. Nach é a dhéanfadh an ceap magaidh díom dá gcuirfinn! Ach is minic mé ag smaoineamh ar ráiteas úd Mhamó mar sin féin.

Ar an taobh eile den scéal, d'ainneoin bhásanna Dhaideo agus Mhamó, agus d'ainneoin is nár tháinig an béilín beag ocrach úd, ní beag mar chúiteamh é go bhfuil an tinneas mór a bhuail Mamaí i lár na bliana curtha di agus go bhfuil sí i mbarr a sláinte arís don Nollaig. Níor thuig mé sin ach an oiread, ach ba dhorcha iad na laethanta sin ná nuair a fuair Daideo nó Mamó bás, go fiú. Breathnaím anois ar Mham agus í ag imeacht go haclaí léi ó chistin go seomra suí agus ar ais arís chun na cistine. Í ar a seanléim cheart arís, buíochas mór le Dia. Í ag réiteach faoi choinne na gcuairteoirí atá le teacht chun dinnéar a ithe linn inniu. Fad an fhanachta ag cur drithliú lenár mbéil agus meascán den turcaí agus den liamháis á róstadh ina mhanglam boltanach ag cur mire ar ár n-intinní.

Is leor nod don eolach, déarfá, agus buailtear cnag den bhaschrann ar dhoras an tí. Agus, nach aisteach é, ach díbrítear an uile smaoineamh ar bhia as m'intinnse ar an toirt. Leis sin, seo chugainn Mamaí isteach ón gcistin de rúid.

"Sin iad anois iad," ar sí, agus bior an ghliondair go hard sna súile uirthi. Agus cuimlíonn sí a lámha go deifreach leis an gceirt atá á crochadh aici léi ó luigh sí isteach ar obair na cócaireachta ar maidin. Í ar bís faoi theacht na gcuairteoirí le breis agus seachtain anuas.

Í imníoch ina croí istigh, seans, go mb'fhéidir nach dtiocfaidis ar chor ar bith i ndeireadh an lae. Filleann sí ar an gcistin soicind, baineann di a naprún de flustar, ansin caitheann uaithi é le 'cúinne na bpotaí', mar a thugaimidne air. Ansin déanann sí an phrímeáil úd ar a cuid gruaige atá feicthe agam mar nós ag mná eile an cheantair s'againne ar uaireanta – uaireanta atá tábhachtach, más ceart mo thuiscint mar pháiste. Leis sin, sméideann sí ar Dhaid, ar Phete, ormsa agus ar Úna le go leanfaimid go doras an tí í. Sinn mar a bheadh ál sicín ag dul síos an halla agus iad ag valsáil leo i ndiaidh na máthar. Agus osclaítear an doras tosaigh.

"A Mháire, a chroí," arsa Mam, agus leathann sí a lámha chun fáilte a chur roimh an mbean óg aoibhinn atá ina seasamh ar leac an dorais. Agus tá a dhá oiread fáilte aici roimh an naí geal atá á iompar ina baclainn ag an ógbhean. Beireann sí barróg mhór ar Mháire agus breathnaíonn muide triúr ar ríméad na mban seo beirt. "Ó, cén diabhal atá orm ar chor ar bith agus sibh préachta leis an bhfuacht," arsa Mam. "Gabhaigí i leith isteach, a stór." Agus, nuair a thrasnaíonn Máire táirseach, cromann Mam a héadan isteach faoi chiumhais na fallainge atá mar chumhdach ar an linbhín agus pógann go bog i gceartlár an chláréadain é. "Ó, nach aoibhinn é Iarfhlaith," arsa Mam. "É go hálainn mar ainm, a Mháire, agus cuma rí air leis," ar sí. Agus titeann deoir dá súil anuas ar chraiceann geal an naí úir, agus greadann leis go lúbarnach fad aghaidh an bhábaí síos. Beireann Mam go tapa ar fháithim na fallainge agus cuimlíonn an fliuchras d'éadan an linbh sula n-éalaíonn an deoir chéanna leis thar chnámh na smige air. "Aoibhinn," ar sí den dara huair, agus, an babhta seo, ardaíonn sí lámh lena haghaidh féin agus díbríonn deoir dá súil. "Seo-seo," ar sí ansin, agus ruaigeann sí isteach chun dinnéir sinn, idir chuairteoirí agus chlann.

Ar ball beag, agus sinn ar ais sa seomra suí i ndiaidh an bhéile, is iad Mam agus Máire a dhéanann a bhfuil de chaint ar siúl. Mam chomh cainteach anois is a bhí Mamó riamh roimpi. Is ait liom i gcónaí gur beag a bhíonn le rá ag fireannaigh an tí s'againne. Sea, muid ciúin i gcoitinne, cé's moite den chorr-spadhar cainte a bhuaileann Pete nuair a bheartaíonn sé rud spleodrach éigin a fhógairt. Ach, don chuid is mó, is den bhfaire agus den éisteacht é dul na bhfear – sa chlann s'againne ar chaoi ar bith. Ar ndóigh, ní heol dom mar a bhíonn in áiteanna eile.

Máire ag insint dúinn – bhuel, do Mham, go príomha, os eatarthu is mó atá an ceangal – faoi mar a bhí an mhaidin sa Gharraí Ard acu. Is ann atá na carabháin i láthair na huaire, sa gharraí fairsing céanna ag barr an chnoic: an garraí a fhógraíonn fáilte roimh an bhfánaí go dtí An Naigín. De réir m'athair, is í an áit is fuaire sa cheantar í, áit, dar leis, ina dhéanann an ghaoth feannadh agus sciúirse ort sula mbíonn a fhios agat é. Agus is aige atá a fhios sin, mar gur fhás sé féin aníos i gceann de thithe beaga Shráid an tSáirséalaigh atá i bhfoisceacht dhá chéad slat den Gharraí Ard. Ach tá clanna lucht siúil le bogadh as an ngarraí sin roimh thús na hAthbhliana, faoi mar a thuigeann Máire an scéal. Iad á ndíbirt as athuair. Tithe galánta le tógáil ann go luath, más fíor na ráflaí atá sa tsiúl sa cheantar le tamaillín anuas.

Ní thiocfadh Mártan – fear céile Mháire – in éineacht léi ar cuairt orainn inniu, d'ainneoin cuireadh a bheith ann dó. Ní thiocfadh am ar bith. Obair mhná é glaoch ar na tithe, dar leis, de réir mar a insíonn Máire dúinn. É uaibhreach, amhrasach faoinár leithéidí i gcónaí. 'Gnáthdhaoine' atá mar lipéad aige orainn, a deireann Máire linn. É inste aici do Mham cheana go mbíonn Mártan ag tabhairt fúithi toisc, nuair a ghlaonn sí ar an teach s'againne gach re seachtain, nó mar sin, go nglacann sí le cuireadh Mham cupán tae nó babhla anraith a ghlacadh léi. Ach sa chistin a dhéanann sí sin i gcónaí agus rabhadh tugtha ag Mártan di gan dul níos faide ná an chistin chéanna.

Ach í anois sa seomra suí. Í neadaithe go compordach ar chathaoir Dhaideo agus a naí geal álainn ina baclainn aici. Agus beireann Mam an bosca chuici. An bosca mór cairtchláir úd atá curtha i leataobh aici le roinnt míonna anuas. An bosca nach eol dúinne mórán eile faoi seachas gurb ann dó. É domhain bán cearnógach mar bhosca agus, nuair a bhaintear an barr de, tá moll mór clúmhach de pháipéar síoda le feiceáil istigh – é chomh bog bán geal le sneachta na Nollag a luíonn chomh cothrom céanna ar dhromchla an ghairdín chúil is a luíonn sé ar an nGarraí Ard ar dhroim chnoic An Naigín.

Síneann Mam a dá lámh amach go caoldíreach i dtreo Mháire agus tógann Iarfhlaith uaithi chun a baclainn féin. Agus cromann Máire ar a bhfuil sa bhosca a iniúchadh. Ina cheann agus ina cheann a bhaineann sí a bhfuil istigh faoin bpáipéar síoda as an mbosca.

"Féiríní beaga don linbhín," arsa Mam.

Ball éadaigh i ndiaidh bhaill éadaigh, a bhfuil dath gorm nó dath bán ar an uile cheann díobh, a bhaineann Máire as an mbosca.

"Dathanna Bhaile Átha Cliath," arsa Daid, agus é ag breathnú ar an ógbhean. An t-aon charnán focal atá labhartha aige ó d'fhill muid ar an seomra suí, agus déanann sé gáire beag na sástachta leis féin. É ag cuimhniú, b'fhéidir, ar an éacht a rinne peileadóirí an chontae i Meán Fómhair na bliana seo. Craobh na hÉireann féin, go deimhin. Ach is mó cúis atá aige a bheith sásta ná an chuimhne sin, i ndáiríre. Is mó is bunús leis an tsástacht chomh maith ná an t-áthas atá le sonrú ar aghaidh na mná óige. Bród is cúis leis thar aon ní eile, chun an fhírinne a rá. Bród i leith uaisleacht na mná a bhfuil sé pósta léi – mo Mhamaíse. Agus breathnaíonn sé ar Mham agus feiceann deora an áthais go hard ar a súilese.

Má tá aon bhall amháin éadaigh sa bhosca sin tá, ar a laghad, scór díobh ann. Agus níl a fhios ag Máire, lena bhfuil de ríméad uirthi, an ag brionglóideach atá sí nó nach ea. Breathnaíonn sí féin agus Mam ar a chéile arís eile agus titeann deora na beirte ag an am céanna.

"Ach, cén chaoi –" a thosaíonn Máire, ach cuireann Mam isteach uirthi sula bhfaigheann sí deis an cheist a chríochnú.

"Ná cuir ceist, a chroí, agus ní inseofar aon bhréag duit, mar a déaradh mo mháthair féin i gcónaí linn," arsa Mam. "Is leor a rá, b'fhéidir, gur dea-scéala é ar tháinig scamall air tamall ó shin, ach atá anois casta ina dhea-scéala athuair."

"A Mhuire Mháthair," arsa mise liom féin, "cén chiall atá leis sin mar ráiteas?" Caint chasta na ndaoine fásta – níl mé in ann aige ar chor ar bith 'chor ar bith. Rud eile: cén chaoi ó thalamh an domhain a mbeadh a fhios ag Mamó bliain ó shin faoi Iarfhlaith agus a bhéilín beag ocrach?

Dúnadh
na Nollag

Dúnadh na Nollag
Don Todhchaí

Tráth an réitigh mhóir thart. Deireadh leis an bhféile féin agus tráth an ghairdis caite. Agus, i ndiaidh an cheiliúrtha, déanann an uile dhuine mar a rinne Dia féin ar ócáid eile rompu, agus ligeann scíth tar éis an tséiú lá. Is é tráth an tsuaimhnis anois é. Agus druidtear agus dúntar agus cuirtear clabhsúr ar an uile ní go ceann bliain eile fós. Tiocfaidh leá ar shneachta, más ann don bháine dhraíochtúil sin, agus sínfidh an lá chun gile nó gur cuimhne cheomhar iarsmach iad laethanta na Nollag. Agus géillfidh an draíocht sin uile do theacht na mbachlóga úra ar na crainn athuair: dá mbláthú sin, dá ngairdeas sin, dá ndul in éag in imeacht ama nó go mbíonn sé ina Nollaig arís. Agus breacfar an spéir le coinnle na n-aingeal agus béarfar an Naí fós eile…